天下無双剣
巌流佐々木小次
兵法天下一
夢想權之

#158 夢想権之助

井上雄彦

バガボンド 18

原作:吉川英治『宮本武蔵』より
（講談社・吉川英治歴史時代文庫刊）

天
下
無
双
剣
巌流《がんりゅう》……
佐々木《ささき》…
日下開山
小次郎《こじろう》だあ!?

ホ――
これは…
何か
塗ってる
のかね？
む…!?
何すんじゃ
コラァ!!
なんだよ
その旗は!?
目ざわり
やのう
あ？
オッサン!!
ピクリ

巌流《がんりゅう》佐々木《ささき》?
日下開山
知らんのう!!
知っとるか往来の皆!?
……
くっくっくっ…
恥ずかしいんじゃ!!
天下無双だ!?
ちったあ遠慮して書けや!!
・・・
お前の背中にも書いてあるが?
一緒にすな!!
オッサンのは職にありつきたいがための売名行為
俺のはよう

生き様よ
兵法天下一
夢想權之助

兵法天下一
天下一
アーー
あ？

日下開山
なんだよ付き人!!
うん?
だいたいその旗を付き人に持たせてるのが気にいらねーや
おい付き人!
おめーもポケーッとよくやってられるなそれでも男か!
男なら己の背中で堂々と語れや!!
…
ポケー

イヤ こいつが——
女房子供いるんだろ?
ん?
オッサン今いくつよ?
五十…二かのう
ムリ!
今さらそんな旗掲げて職にありつこうなんて無理じゃ!!
もう人生も終わり間近じゃねえかよ!!
それが言うに事欠いて天下無双だ!?
いいかいオッサン猫も杓子《しゃくし》も天下一を名乗っちまったらよ

天下一
夢想権之
俺の立場
ねえだろう!!
わかったら
妙な夢見る
のはやめて
畑を耕せ!!
迷惑じゃい
!!
…んっ?
ムカー

カッ
うおっ!?
パ

コッ
!!
ド

0点!!
アー
ほお—
ざわ
ざわ
それにワシは
小次郎《こじろう》じゃ
ないわい

アー
ちょっと休もうや小次郎《こじろう》疲れたわい!!
ヒー
アウーー
アウーーアーー

分かっとる
初めて世に出てわくわくしとるんだろう
見るものすべて珍しいか
じゃがそう先を急ぐな
退屈してしまうぞ
おお——い

ハァ
ハァ
いた――!!
ザッ
天下一
夢想権之助
ドン

バ
バ
一度の負けは認める!!
しかしこの夢想権之助《むそうごんのすけ》
不意打ちを受けてこのまま引き退がったのでは背中の天下一が泣き申す!!
いざ勝負を願いたもう!!
ザ
巌流《がんりゅう》佐々木小次郎《ささきこじろう》殿!!
この暑いのに勝負などできるか
やっと汗がひいたのに
こいつと立ち合ってみい
倒せたらワシが相手してやらんこともない

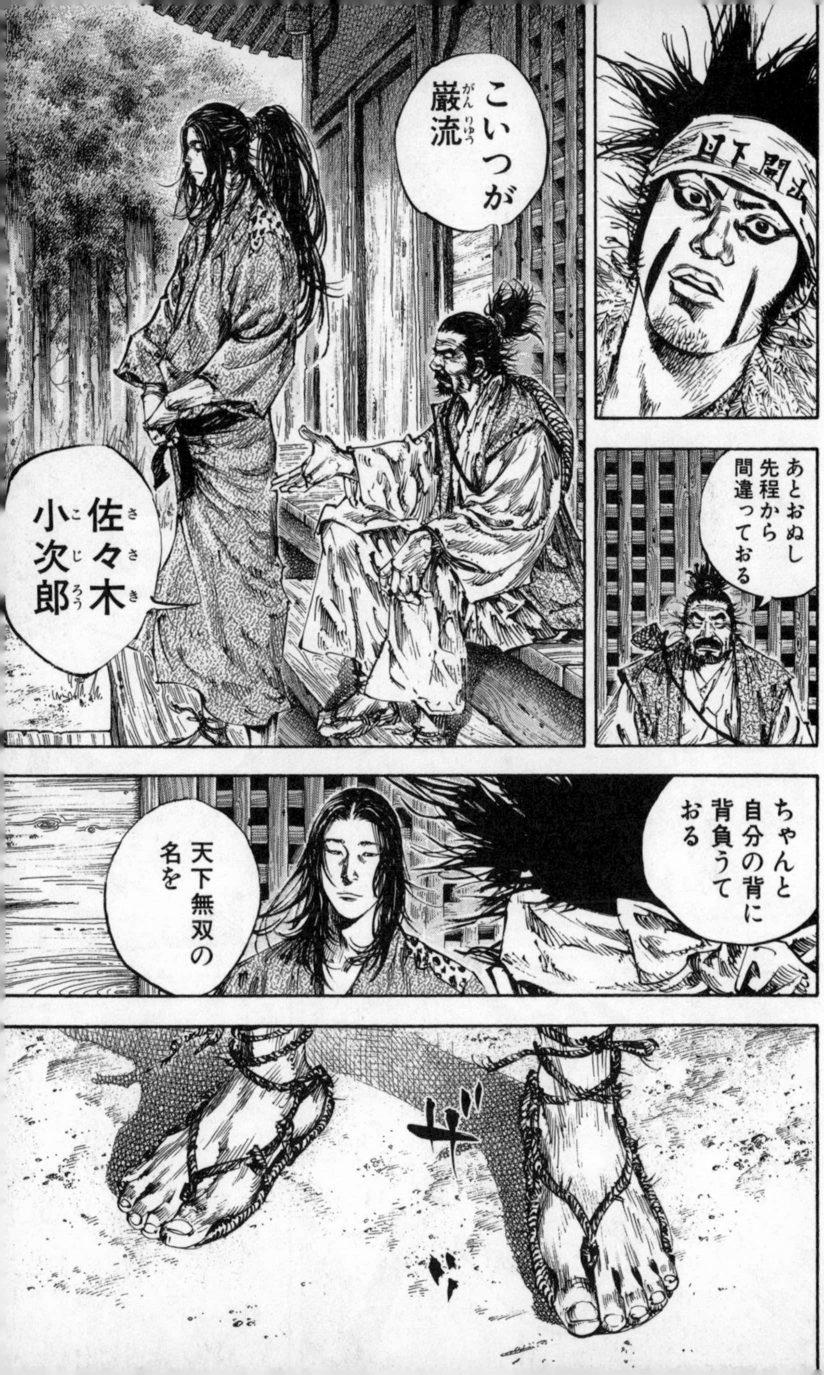
こいつが巌流《がんりゅう》
佐々木《ささき》小次郎《こじろう》
あとおぬし先程から間違っておる
ちゃんと自分の背に背負うておる
天下無双の名を
ザ
ザ

巌流
ズ
子供……
子供の顔
体はでかいが
まだ子供だろ
こいつは
やる気
満々じゃのう!!

がっ
そいやっ
開山
ゴ!!

か
うぐ……
……
ギギ…
ギギ!!

そいやっ

下開山

ま……待てっ
もう終わりか
何故打ち込まん
巌流 佐々木小次郎
何故止めた!?
待て!!
お前はまだ舞台に立っとらんそうだ

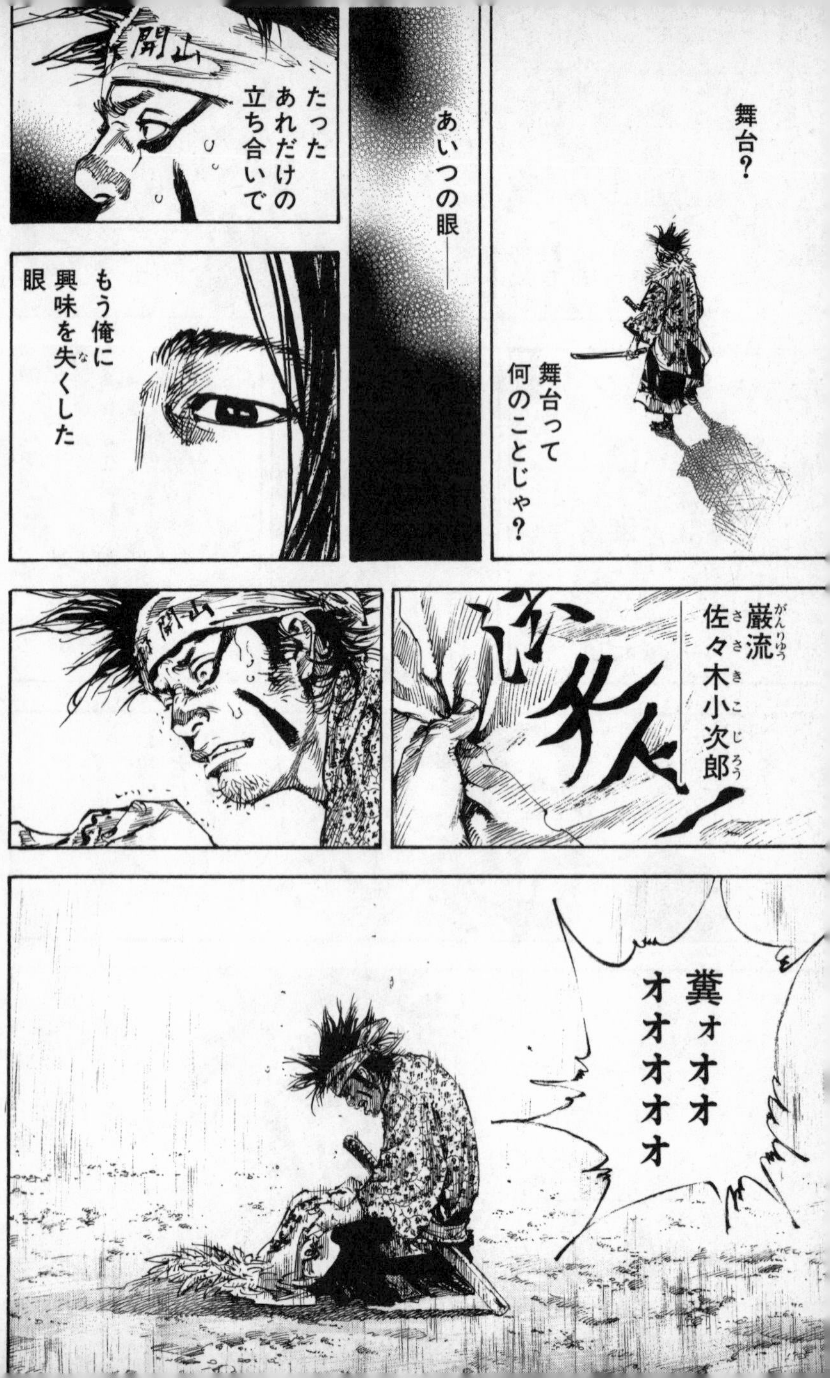
舞台？
舞台って何のことじゃ？
あいつの眼——
たったあれだけの立ち合いで
もう俺に興味を失《な》くした眼
巌流《がんりゅう》佐々木《ささき》小次郎《こじろう》
糞ォオオオオオオオオ

バガボンド

でもまた着る
ぐすっ
悪いかよ

アー
腹へった
アウー

ハアハア
夢想権之助

#159 舞台

おーい
待ってくれ
――!!
佐々木《ささき》
小次郎《こじろう》
――
それから
えーと…
まだ
名を聞いて
なかったな
ハァ
ハァ
待ってくれーっ
ヒゲのオッサン
!!
うん?
ワシャ
伊藤《いとう》一刀斎《いっとうさい》
という!!

日下開山
ガッ!!
いっ
伊藤《いとう》っ……
……
ハァハァ
一刀斎《いっとうさい》!!

剣の神様
伊藤《いとう》一刀斎《いっとうさい》!!
すげえ
まだ生きてたんか!?
先生!!
待ってくだせえ先生!!
俺も連れてってくれーっ

俺 先生の 一刀流 のように 自分の流派を 打ち立てたくて
剣で有名に なりたくて 田舎の村を 出てきたん でさあ先生!!
まさかあの 伊藤一刀斎《いとういっとうさい》 先生に会える とは思わなかった けども……
御休泊
どこへ 向かう旅 なんですか 先生?
さーて どこへ行こう かのう小次郎《こじろう》?
うん?
ちゃぐっ ちゃぐっ
ちゃぐっ ぐちゃ ぐちゃ

巌流《がんりゅう》
佐《さ》々《さ》木《き》小《こ》次《じ》郎《ろう》
変な奴じゃこいつ
人の話を
全然聞かねえで
変わっとる
……
先生
「舞台」――
「舞台」って
何のこと
ですか？
小次郎《こじろう》
曰《いわ》く
ずず
ず
「俺はまだ
舞台に立って
おらぬ」と――
意味がよう
分からんの
ですが

天下…
無双…剣
……
おいっ小次郎《こじろう》舞台って何じゃ!!
俺がまだ立ってない舞台って何じゃ!?
あんとき完全に一本とられた!
なのにおめえは木刀を止めた!
何でじゃ!
何とかいえやあおい〜〜〜!!
どすっ

佐《さ》々《さ》木《き》小《こ》次《じ》郎《ろう》殿はおいでか
あん？
巌流《がんりゅう》——

佐《さ》々《さ》木《き》小《こ》次《じ》郎《ろう》殿
はおられぬか
おい
小《こ》次《じ》郎《ろう》
呼んでるぞ!
表の旗を見て
お邪魔した
天下無双
とは豪気な
――
天下無双剣
巌流
佐々木小次郎

実は私
これまでに
2名
天下一の腕と
称する兵法者と
試《し》合《あ》ってきたが
不思議と
まだ負けた
ことがない
一度目は
神仏のおかげか
とも思ったが
二度も続いた
のは何故
だろうか
三度
続いたら
私は確信できる
これは神仏の
御加護ではなく

私こそが
天下一だから
であると
かっ
かっ
かっ
ぐぇあっ

是非お手合わせ願いたい
佐《さ》々《さ》木《き》小《こ》次《じ》郎《ろう》殿!!
とっとっとっ
それは真剣でかね？
私はそれで構いません

ぐっ
ニヤリ
トン

がし
日下開山
……!!
御休泊

抜かれよ
ではこちらから

ウオオー〃
ウオォ〜ン
オォ
オオォウ

!
ボロ
ボロ

鍛錬に鍛錬を積み
技と心を試し合う
試《し》合《あ》い——
その行き着く処《ところ》にある死を受け容れた者
死
そういう男ならあいつは斬る
小次郎《こじろう》は耳が聴こえん
えっ
話も出来んだが——

そういう
戦いが
あいつの何かを
震わせとる
お前は
その舞台に
上がっとらん
という訳だ

俺を…
……
俺を
強かったと
言ってくれるのか

いい人生だった
兵法天下一
夢想権之助

バガボンド

……
ウイ

#160 戦場

ザッ
下無双
巌流
佐々木小次郎
ザッ

ぷぷっ
兵法天下一に…
天下無双剣が
仲良く並んで
歩いてなさる
ザザ
兵法天下一
薫蔵権之助
湯休泊處
本当に
そう思ってるなら
まず おめえらが
勝負しねえと
嘘だろう
ハハハ
まったく
だ

天下一の兵法者ならこんな所をうろついてやしねえやこんな時によ
今日明日にも――
でっけえ戦《いくさ》が始まろうかって時によ
ブチッ

むしるな!!
アー
何がうれしいんだこの野郎
変な奴!!
こんなのほほんとした顔してるクセに

死の覚悟も
なしに
向かってくる
者を斬っても
つまらん
だから
―
お前を斬る
こともない

俺だってっ……
……!?
はっ
はっ
はっ
……
おめえは……
じゃあ死ぬ覚悟が出来てるっていうのかよ小次郎《こじろ》ォ…

小次郎《こじろう》は耳が聴こえん
……
それでも剣に生きてるんだ
半端じゃねえ
死ぬ覚悟は出来てるよな
俺よりは……
あー
…?
あいあい
あいあいっ
!
ん?

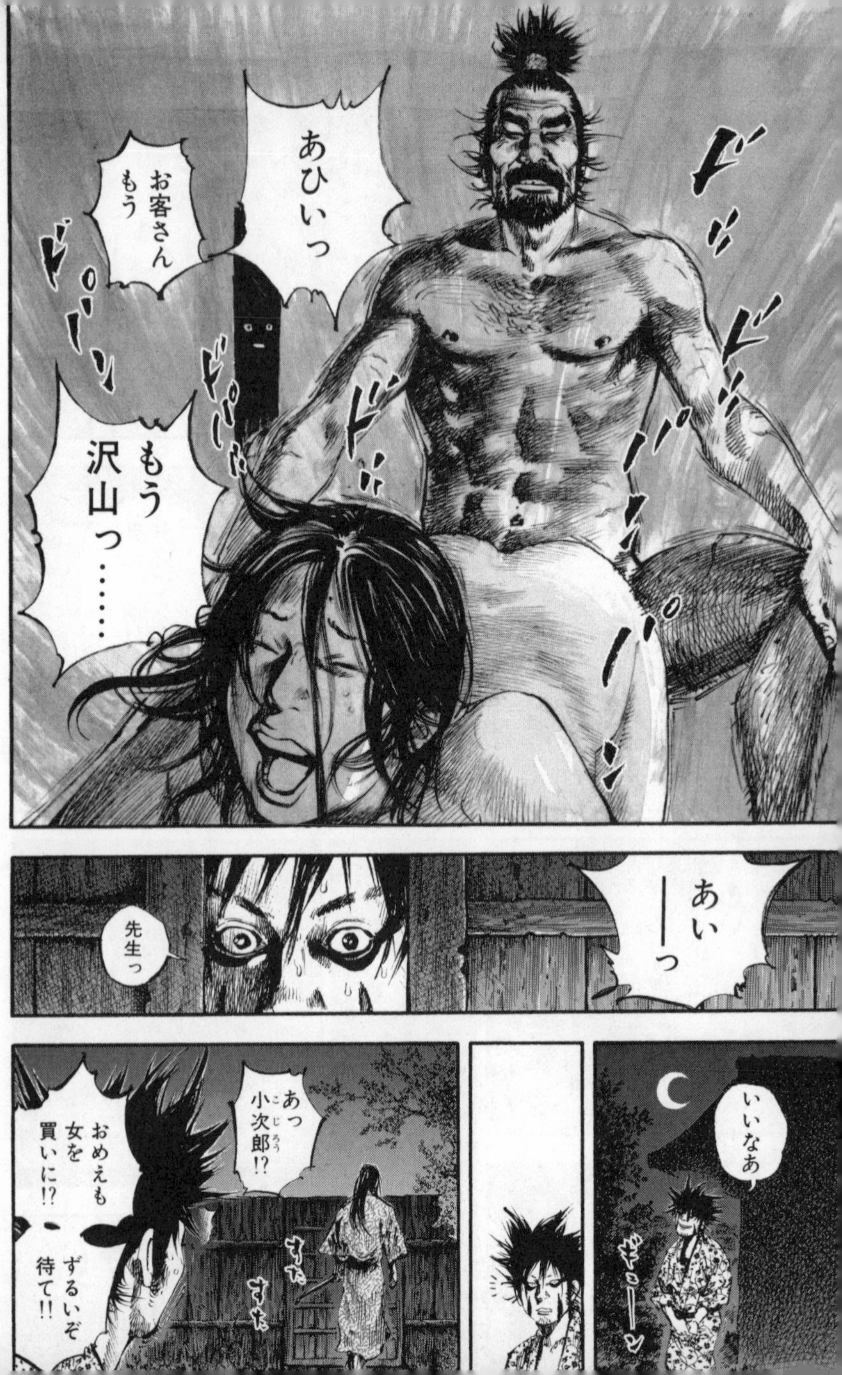

ドドドド
あひいっ
お客さん もう
ドパンッ
ドパ
もう 沢山っ……
あい——っ
先生っ
いいなあ
ギョーン
あっ 小次郎《こじろう》!?
すた すた
おめえも 女を 買いに!?
ずるいぞ 待て!!

ハア ハア
どっち行った!?
小次郎《こじろう》 俺もっ……
はっ はっ
……!!
稽古かよ!!

やわらかい……!!
あんな不安定な足場で見事じゃ!!
俺ならたぶん川に落ちる……!!
あっ!?
そ…
そうだよな!
小次郎《こじろう》も人の子
俺といかほどの違いが——

アー
……
天狗!?

アア
アウアアア―

……
学ぼう
この小次郎《こじろう》から学ぼう
俺はきっともっと強くなれる
油断するな小次郎《こじろう》!!
今はまだ舞台に上がっていなくとも
いずれ上がってみせる!!

ドドォ――ン
ハァ ハァ
ウー
ぺた ぺた ぺた
稽古の相手に困っとるなら
この夢《む》想《そう》権《ごん》之《の》助《すけ》が務めてもよいぞ

ぺた
ぺた
ぺた
ぺた
……
くちっ
おんのれ〜〜〜
眼中になしってことか…
おめえは耳が聴こえねえんだろうが!!
後ろから襲われたらどうしようもねえんじゃねえのか!?
小次郎《こじろう》!!
この夢《む》想《そう》権《ごん》之《の》助《すけ》を怒らせた罰じゃ!!
喰らえっ
ダッ

あやっ!?
かっ
かは…

どさっ
チチチ
チュン
チュン
チチチ
ムニャ……
ムニャムニャ
くそう
小次郎《こじろう》め……

ドタドタドタ
うちの先生と小次郎《こじろう》を知らねえか!?
おや？一緒じゃなかったんですかい？
半刻ほど前に出立《しゅったつ》なすったよ
!!
あんたついていかなくてよかったよ
行き先は関ケ原ですよ
関ケ原？なんで!?
これからどこへ向かわれるんで？
うん？
戦を見物に行く!!
ニコ
ニコ
戦見物っ!?

ゴロ
ゴロ…
ぜえ
ぜえ
よろ
はあ
よろ
はあ
ぜえ
ぜえ
!
いた――
ザアアアア

なあんだ
もう終わっち
まっとる
ザァアアア
これ
みんな……
死んどる
んか……
う……
……
はっ……
はっ
死に損ないも
まだいる
様だが

!
よろ…
大将首を獲るために出てきたのによ……
は
はっ

まだ誰も斬ってねえっ

バガボンド

がルル
17才
猫背

はっ
は
は
は
ふっ
ふ
ふっ
ほっ

#161 死を賭した者

ふ、
ふ、
ふ、
ふっ
はっ

……
気がふれちまってるのか……？
バチャ
ふ
ふ
バチャ
バチャ
こっち来ますぜ先生
バチャ
ふ
はっ
ふ

ふ
ふ
は
ふ
は

ふっ
ふっ
ふっ
ふっ
ふっ
ふっ
どっちの軍か？
はっ
ふ
へっ？
ふ

東方
西方
どっちの
軍か？
ふっ
ふっ
ふ
見物人
である
ふっ
そうか
ふっ

チャ!!
バチャ
ふ
ふ
バチャ
バチャ
な…
何じゃあ
あの野郎は
気味の悪い
奴じゃ!
なあ
小次郎《こじろう》

戦に出て
刀を片手に敵を
バッタバッタと
なぎ倒し――
うぉ～～っ
わしこそは
兵法天下一
!!
夢想権之助《むそうごんのすけ》
じゃあ――っ
!!

その大活躍がどこぞの大名の目に留まり
兵法指南役として高禄《こうろく》にて召し抱えられることに——
そんな夢を見ていたが
戦に加わるツテも何もなくて 結局機会を逃した
兵法天下一
夢想権之助
でもあの時うまくいってどこかの隊に加えてもらってたら——
俺は今この中にいたかも知れんのじゃ……

父ちゃん母ちゃん
百姓の子でよかったよ
みな鉄砲や──
弓矢でやられてる
せいぜい長槍──

先生
戦はもう
……
剣の戦い
ではないいん
ですね……
ウム
剣による
武勲で
出世など
望めぬ世
小次郎《こじろう》
――
なら お前は
何のために
剣を磨くんじゃ
？

そこの3名
答えよ
どこの隊の者じゃっ!?

アーーー
……!!
お主らの相手方である！
ニカッ

斬れいっ!!
えーーっ!?

斬れっ
斬れ——っ!!

わ
わーっ

こっ…
この野郎!!

ガキッ!
ゴキッ
あっ
きっ 貴様ーっ

か…
か…
か…

ガ
はあ
はあ
はあっ
やってやる
小次郎《こじろう》から学んだことがひとつある
はあ
戦いの最中といえど——
はあ
力を抜く
コキ
コキ
……!!
きえええ——っ

ドドド
……
ド
はあ
はあ
はあ
はあ
わあああああーーっ
うん？

ドドド
んむふふふふ
戦場だもの
死を賭した者ばかりだのう小次郎《こじろう》！
おーーいこっちじゃぞーーっ

バガボンド

んむふっ
んむふふふふ

ド
ドド
ドド
ドド
ドド
ドドド
ドド
おや？

#162 獣乱舞

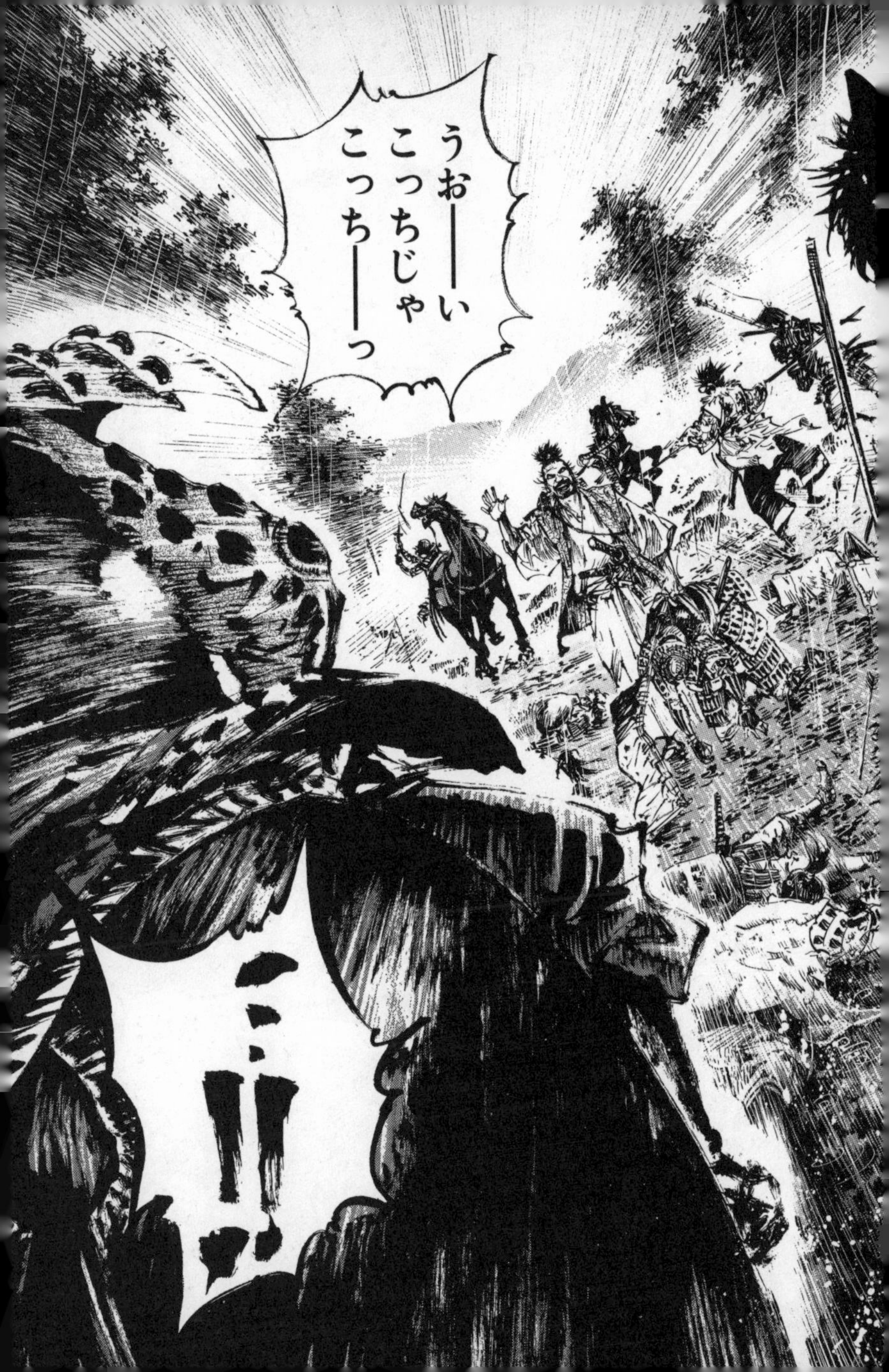
うおーーい
こっちじゃ
こっちーーっ
…!!

!!
ギョッ
せ…
先生っ…!?
ザッ
キッ
!!
!!
しまっ…
……
ドッ
チャ

はあ
はあ
はあ
はあ
ハッ
ハッ
ハッ
はっ
はあ
はあ
バ
ザザ
ザ
…

どサッ
……
す…
すまねえ
あんた
名前は
…!?
グイ
ズザザッ
新免《しんめん》武蔵《たけぞう》様
だっ

はは

笑っていやがる!!
何でじゃこんな状況で!!
ド
ぐわ
ガ
ぐえっ
小次郎《こじろう》――

アー
笑っとる
あいつも!!
先生は
──
先生は
さっきから
笑ってるか
ニコ
ニコ
よーし
俺も
笑って
みよう
ダ!!
くそっ

わははははは!!
ここからじゃ
兵法天下一
への道は!!
ゴ
おほ
獣じみて
おるのう
ぐが
うおーっ

うっ
ヘ
ち
そりゃっ！
そりゃっ！
はっはっはっ
ぷっ
ぶへっ
ぐわっ

がっ…
こっ…
この野郎……

お…
おのれ
生かすな
この男を

若いな……
この光景に……
およそ似つかわしくない澄んだ眼をしている
おぬしのような若者に
ここへ来てほしくなかった

こんな場所で出会っては――
ズ
ズ…
斬るほかはない……
アー

ウオーッ

どっ

獣が
2匹
おるねえ
ザ
ザ
とん

ふうん
獣の本能がそう言ったのか
敵ではないと

バガボンド

ニコニコ

#163 関ケ原午後六時

こんな小僧っ子どもに何を手こずっておるかっ
何処の者だ貴様らっ
戦の勝敗は最早決しておるっ

貴様らが如き雑兵の生き残りの一匹や二匹
足掻《あが》いてみたところでどうにもならぬと知れいっ

大将か!?
一斉にかかれ──っ
オオオ──!!
!

この野郎!!
ドッ
うっ!?

うおっ
ぷあ
くそ
!

!!
ググイ
むっ
くっ
楯《たて》に…
かたまるな
広がれ!!
ザァァァア
はあ
はあ
はあ

何だよ!!
はぁ
はぁ
その眼はよう!!
はぁ
アー
見抜いとるっちゅーんか!?
はぁ
はぁ
わしが
はぁ
はぁ
はぁ
腕に自信のないことを…!!

はあ
はあ
はあ
稽古《けいこ》不足
青年の頃
持っていた
剣への
たぎるような
情熱も今は
はっ
はっ
小さくしぼんで
しまっとる
ことも……
見透か
されとる
……!!
本当の
命のやりとりの
場面に出くわす
ことなんて
わしには無いと
いつしか高を
括《くく》っておった
はあ
あったのか
しかも
戦も終わり
間際に
なって——
はあ

ううう
いや!!
数の利は我が方に
わしのバカ
そうだそれに
こっちは具足
あやつは生身
死ぬ訳がない!!
オオオオオオッ
!!

うっ
う
うおお
おおお

雄《お》々《お》しく死のう!!
オオ

ガチャ
あっ
わ

ドッ
うおーっ
なっ…
なんだこいつら!?
斬れっ斬らぬか——っ
!

ド
ッ
ふッ
おめーが俺を
斬ってみろ
大将っ
うぬっ!?
…………
ズン
ズン
ズン
?
ド
ド

……
スン
スン
小次郎《こじろ》オ

スン

ハッ
よしっ
んっ

パシャ
パシャ
パシャ
パシャ
……
しかと握っておれ
パシャ

ザ
ヤ

ピュー
ピュ
は
は
……

テッポウは好かん!!

馬から
降りよ
うっ
ブヒイイイイン
罪もない馬を
斬りたくは
なし
う……
うん？
おぬしらも
まあ罪は
ないか
そう
いえば
帰って
よし!!

ザアアア
乱暴者よ
どこにおる
ザアアア
……
天晴《あっぱ》れな暴れっぷりであった

バガボンド

ちょっとはなれたところ
うっ
ううう…
…たけどっ
おふくろ〜…

これで終わりか
何かが
変わると
思い
生まれた村を
出てきた
虫が
光に誘われるように──
クソッ!!
光なんか
ありゃ
しなかった

戦《いくさ》は終わった

#164 落武者狩り

はっ
はあ
はあ
はあ
はあ
はあ
はあ
!!
はあ
はあ
はあ

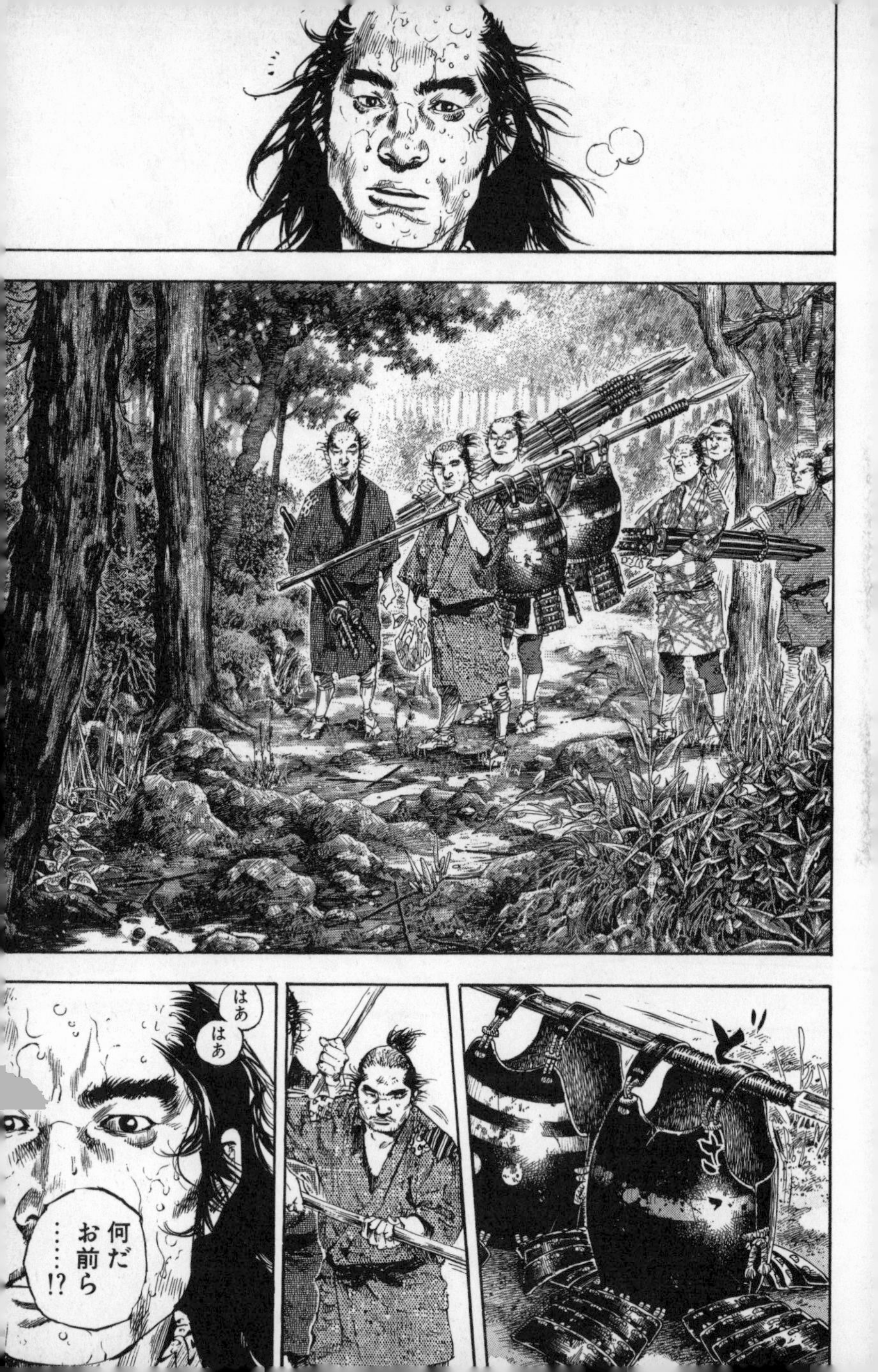
はあ
はあ
何だ お前ら……!?

ドド
!!
ドサ

なかなか状態がいいぞ
いい値がつきそうだ
こいつ大した働きしてねえな
キレイなもんだ
へっへ……恨むんじゃねえぞ
こちとら家を焼かれ田畑を荒らされた
女子供も取られた

ただ
俺たちの村が
……
合戦場に
近かった
せいでよ
その
埋め合わせにゃあ
まだまだ
足りねえよ
なあ　みんな
そう
ともよ!!
ガチャ
ジャラ
おっ
銭《ゼニ》コだ
ザッ
ザッ

うっ!!
身ぐるみ
はがされてらあ
……
負けたら
生きて国へは
帰れんのじゃ
相手方
だけじゃ
なく
戦《いくさ》でひでえ目に
あった
そのへんの
百姓たち
からも命を
狙われるん
だから
戦《いくさ》ってのは
負けたら地獄
じゃのう小次郎《こじろう》
うっ
まてよ
あのう
先生
もしかして
……
うん?

お……俺たちも
落人《おちうど》に見えなくもないのでは……？
先生……!!
生きて帰ろうぞ少年！
先生〜〜〜!?
？
チンポも使わぬまま死にたくはあるまい!!

おいっ聞いたか!?
西軍を率いた石田《いしだ》三成《みつなり》を捕らえたら褒美《ほうび》は何か知ってるか!?
何じゃ!?
その村はこれからずっと年貢を納めなくていいんだとよ!!

な
に!?
ザッ
ザッ
ザ
ザッ
!!
そろそろ
日が暮れるな

夜が来る――
……
ザザ
ザザ
ザザ
ザザ
ザザ
ザザ

ハア
ハア
ハア
ハア
先生！
ちょっと待ってください
小次郎《こじろう》が小便……

すた
すた
あれっ
先生!?
待ってください
小次郎《こじろう》が……

小次郎《こじろう》
わしにはもう分からなくなった
鐘巻《かねまき》先生
小次郎《こじろう》をよろしく頼み申す…!!
小次郎《こじろう》がいかほどの器かわからぬと申されましたな
わしにも分かりません
わしは自分のことは分かるが人のことは分かりません

よって人を育てられるような人間ではない
よろしく頼まれましても出来ることはひとつしかありません
わしがしてきたようにやらせるだけ
わしにいえることはただひとつ

わしになれ

ガシ
!
アー

……
おおう キレーだな
本当だ

何を呑気《のんき》なことを！
ム
松明《たいまつ》が集まってるってことは誰かが捕まったってことでしょう!!我らの同志が！
う…
糞っ
よせ利宗《としむね》
もう肉が締まって抜けんよ
ヤットコでもなければ無理だ
う…
う
うう──っ

何やってんだ市三《いちぞう》見つかっちまうだろうが
バコ
ちゃんと兄ちゃんの口を押さえとけ！
兄ちゃん
ハア
ハア
ハア
大丈夫だ……すまん……
ハア
ハア
あの火……
殿ではないだろうな……

馬鹿野郎 あんな所に殿が おられる訳 なかろう！
うん 今頃もっと ずっと遠くまで 行かれてる はずですよ!!
そうか…
ハァ
うん…
生き延びて……
ハァ
そうだ
大坂《おおさか》でおちあう 約束を したじゃねえか
大坂《おおさか》 で……
ハァ
ハァ

ゴトッ
もう
役に立たん
こんなもの
生き延びる
ために必要な
もの以外は
捨てよう
えっ？
ゴトッ
そうですね
ゴトッ
それも
そうだな
ゴトッ
はあ
はあ

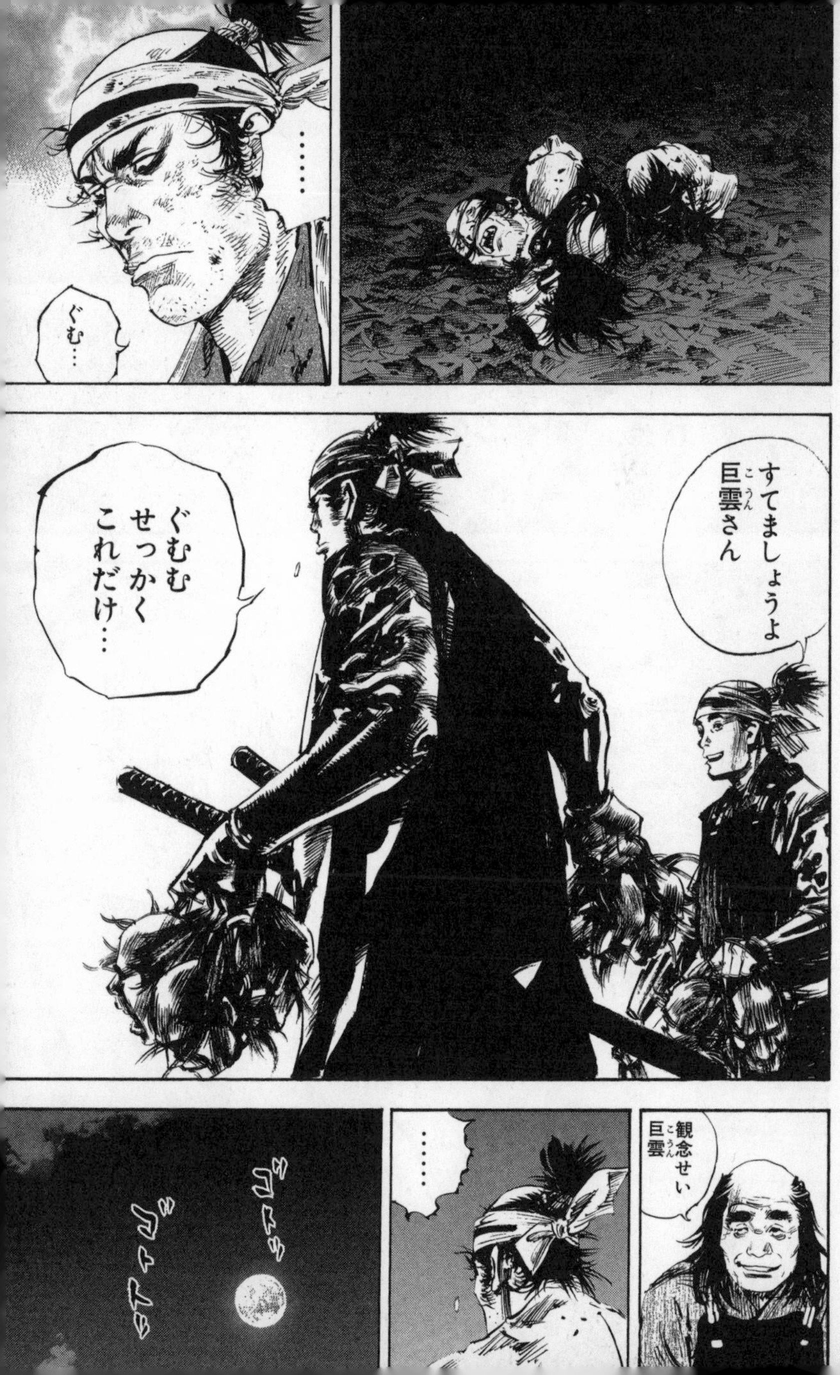
……
ぐむ…
すてましょうよ 巨雲《こうん》さん
ぐむむ せっかく これだけ…
観念せい 巨雲《こうん》
……
ゴトッ
ゴトッ

ここから
もう一つの
戦《いくさ》だ
生き延びる
出会う者
すべて斬って
生き延びる
バガボンド　第18巻／おわり

モーニングKC916

バガボンド 18 Vagabond

2003年 11月20日 第1刷発行
（定価はカバーに表示してあります）

著者 井上雄彦《いのうえたけひこ》／吉川英治《よしかわえいじ》

発行者 五十嵐隆夫

発行所 株式会社 講談社
〒112-8001
東京都文京区音羽2-12-21
Tel.東京(03)3945-9155[編集部]
東京(03)5395-3608[販売部]

装丁 thesedays

印刷所 株式会社廣済堂

製本所 本村製本株式会社

Printed in Japan
N.D.C. 726 194p 19cm

落丁本・乱丁本は購入書店名を明記のうえ、小社雑誌業務部宛にお送りください。送料小社負担にてお取り替えいたします。（電話03-5395-3603）
なお、この本についてのお問い合わせはモーニング編集部宛にお願いいたします。

ISBN4-06-328916-8

『バガボンド』第18巻は、'03年のモーニング26号、28号、30号、34号、36・37合併号、39号、41号に掲載された作品を収録したものです。編集部では、この作品に対する皆様のご意見・ご感想をお待ちしております。また、今後「モーニングKC」にまとめてほしい作品がありましたら編集部までお知らせください。

〒112-8001
東京都文京区音羽2-12-21
「講談社 モーニング編集部」
モーニングKC係

生き延びる
戦は終わり、武士達への恨みを持った
農民達の報復の宴が始まる。
一人で何十人もの敵と闘わざるを
得なくなった小次郎。
一方で、大坂へ向かおうとする巨雲《こうん》達も
農民の集団に出くわしてしまう……。
果たして何人が生き残ることができるのか!?
始まる——。
ウウ——ッ
アウアアア——ッ

次巻予告

落人狩り

井上雄彦

バガボンド

原作:吉川英治『宮本武蔵』より
(講談社・吉川英治歴史時代文庫刊)

2004年3月発売予定

19

itplanning.co.jp/

http://www.
INOUE TAKEHIKO ON THE WEB™
http://www.itplanning.co.jp/
WHAT'S NEW,BUZZER BEATER,INOUE NEWS,WORKS,LOUNGE,SHOP,F.A.Q